我繪弟子規

國立臺灣師範大學

「品德教育繪本結合鍵接圖識字教學」計畫之實驗性教材

郭恩慈 張瓅勻 陳學志 著｜張育菁 郭順霖 繪

愛上學習
從閱讀開始

萬卷樓

編寫理念

這是本可以讓國小低中年級學生輕鬆學習《弟子規》的書，透過親子共讀的設計，使小朋友養成良好的品德。

每一篇故事都對應《弟子規》的內容，能從有趣的故事知道《弟子規》的道理，還能學會重要又簡單的字。

在書的最後有主角小饅頭貼紙，當小朋友完成任務後，請大人幫忙貼上作為鼓勵！

目錄

我是松松，
我最愛吃松果。

我是果果，
我最喜歡的人
是松松哥哥。

人物介紹

我是喵喵，
我喜歡看書。

我是咪咪，
我喜歡照相。

我是菲菲，
我熱愛飛翔。

我是莉莉，
我喜歡穿美麗的裙子。

人物介紹

我是鼓鼓，
我每天
準時起床。

我是點點，
我最喜歡
我的點點眉毛。

咪咪的集點計畫

我的目標

★ 能主動幫忙做家事。

★ 能在早晚時向爸媽或長輩打招呼。

★ 能聽從爸媽的話，不讓爸媽擔心、生氣。

咪咪從公園回家，看到飲料店的集點活動：「買一杯，蓋一個章；集滿十個章，就可以換一杯飲料。」

讓她想到一個好主意，
回家跟媽媽打完招呼後，
馬上去房間找喵喵討論。

咪咪：　哥哥，我剛剛看到飲料店有集點活動，你說我們幫爸媽做家事的時候，能不能也集點？

喵喵：　集點要做什麼呢？

咪咪：我們常常想要新的玩具和好吃的東西。如果集滿十點，就可以跟爸媽說想要的玩具！

喵喵：這是個好主意，等爸爸回來跟我們一起吃晚餐的時候，我們就跟他們說。

晚餐吃到一半。

媽媽：今天該咪咪洗碗了！

咪咪覺得機會來了！

咪咪：媽媽，今天開始，
　　　每次我做孝順的事，
　　　您就幫我蓋一個章。
　　　集滿十個章，您就
　　　送我禮物好不好？

媽媽：好。

早安!!

咪咪跟喵喵開始了集點活動，出門和回家都跟爸媽打招呼、每天早睡早起、主動做家事、不與爸媽頂嘴、認真讀書……。

喵喵：媽媽今天看起來有點生氣，是不是發現我偷吃零食？

咪咪：應該沒有吧！但我覺得偷吃不太好，你下次還是問過媽媽再吃吧！

媽媽遵守約定，給兄妹小禮物。

媽媽：這次給禮物是鼓勵你們主動幫忙。明天開始，就不再有集點活動了。

喵喵偷偷跟咪咪說：
太好了！ 媽媽沒有
發現我偷吃零食。

媽媽：　站住！　今天是誰
　　　　偷吃零食？

喵喵：　是我。

媽媽：不要覺得偷吃點心是小事就去做，如果今天你吃掉的是媽媽要送人的禮物怎麼辦？以後不能隨便拿走，一定要先問過。

喵喵與咪咪一起說：好！

喵喵：果然還是被發現了。

我會《弟子規》

父母呼，應勿緩；
父母命，行勿懶。
父母教，須敬聽；
父母責，須順承。

什麼意思？

當爸媽叫我們的時候，要馬上回答；當我們答應爸媽事情的時候，要馬上去做；當爸媽教導我們事情的時候，要專心聆聽；當爸媽罵我們做錯事的時候，要順從的接受，不能頂嘴。

我們要在日常生活中體貼爸媽，展現我們的孝心。

我會《弟子規》

冬則溫，夏則清；

晨則省，昏則定。

出必告，反必面；

居有常，業無變。

事雖小，勿擅為；

苟擅為，子道虧。

物雖小，勿私藏；

苟私藏，親心傷。

什麼意思？

以前有個故事：九歲的黃香，在冬天時會提早幫爸爸溫暖被窩；在夏天會先把床搧涼。早晚、出門和回家時，都會向爸媽打招呼，讓爸媽安心。

保持正常的生活作息，努力學習，爸媽才不會擔心。無論孩子做了多麼小的壞事，爸媽都會感到難過。別人的東西，不管多小，都不能隨便拿，這樣會讓爸媽傷心。

猜猜看這是什麼字？

請從下方選出最像的字卡，擺入第33頁和第37頁的空格中。

止 ㄓˇ	在 ㄗㄞˋ	面 ㄇㄧㄢˋ
小 ㄒㄧㄠˇ	色 ㄙㄜˋ	目 ㄇㄨˋ
母 ㄇㄨˇ	行 ㄒㄧㄥˊ	五 ㄨˇ

字卡在第146頁，剪下來使用。

我是大偵探

請剪下第146頁的字，看看哪個字最像下面的圖，擺到格子裡。

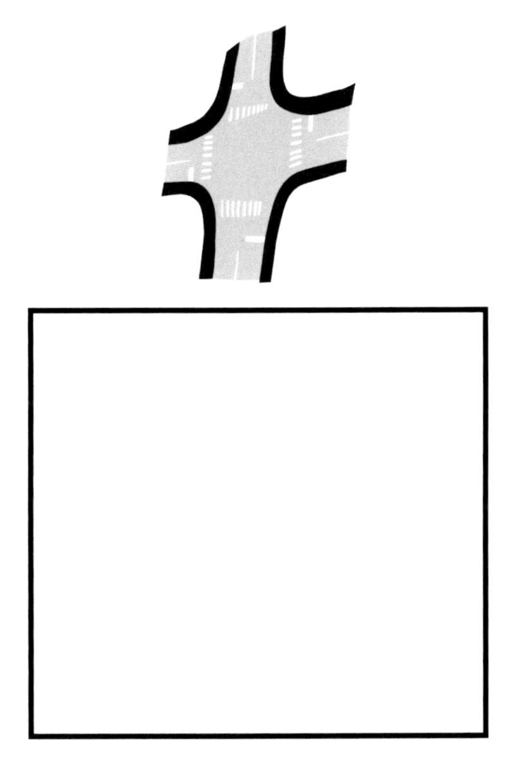

我ㄨㄛˇ會ㄏㄨㄟˋ寫ㄒㄧㄝˇ國ㄍㄨㄛˊ字ㄗˋ

先ㄒㄧㄢ描ㄇㄧㄠˊ三ㄙㄢ次ㄘˋ，再ㄗㄞˋ寫ㄒㄧㄝˇ三ㄙㄢ次ㄘˋ。

母 ㄇㄨˇ	母 ㄇㄨˇ	母 ㄇㄨˇ

行 ㄒㄧㄥˊ	行 ㄒㄧㄥˊ	行 ㄒㄧㄥˊ

面 ㄇㄧㄢˋ	面 ㄇㄧㄢˋ	面 ㄇㄧㄢˋ

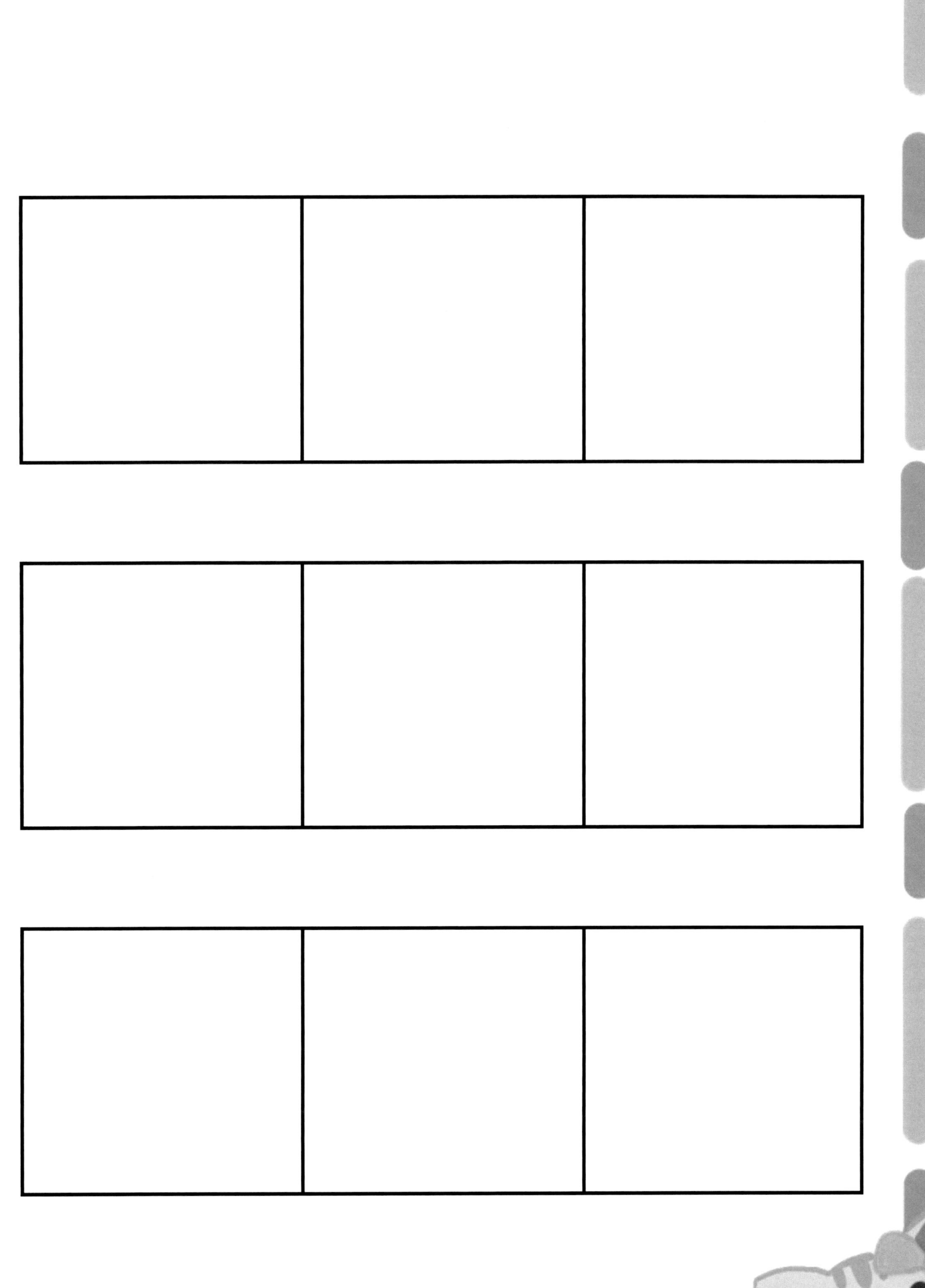

我認識國字

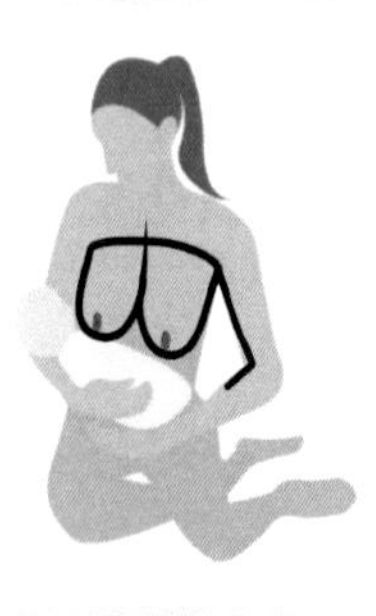

解釋：像媽媽用母乳餵孩子。

詞語：母親、母愛

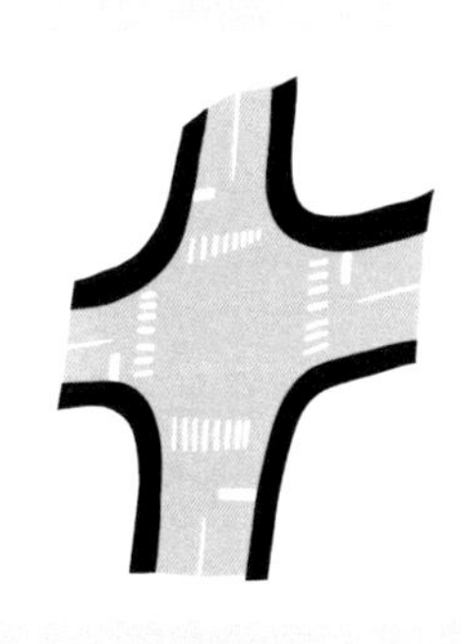

解釋：「行」字就像十字路口。「行」也唸「行」。

詞語：行人、行業

解釋：像一個人的臉，頭髮是最上面那一橫，中間是鼻子。

詞語：面貌、面對

我是大偵探

請剪下第146頁的字，看看哪個字最像下面的圖，擺到格子裡。

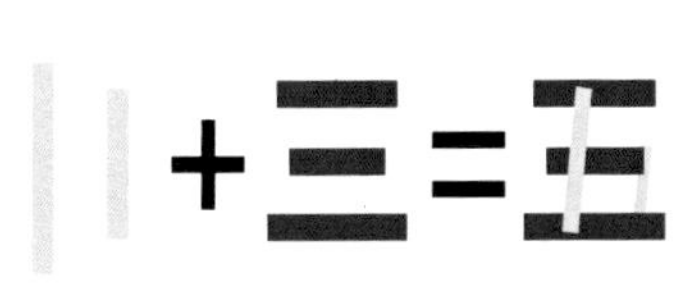

我ㄨㄛˇ會ㄏㄨㄟˋ寫ㄒㄧㄝˇ國ㄍㄨㄛˊ字ㄗˋ

先ㄒㄧㄢ描ㄇㄧㄠˊ三ㄙㄢ次ㄘˋ，再ㄗㄞˋ寫ㄒㄧㄝˇ三ㄙㄢ次ㄘˋ。

小ㄒㄧㄠˇ	小ㄒㄧㄠˇ	小ㄒㄧㄠˇ

五ㄨˇ	五ㄨˇ	五ㄨˇ

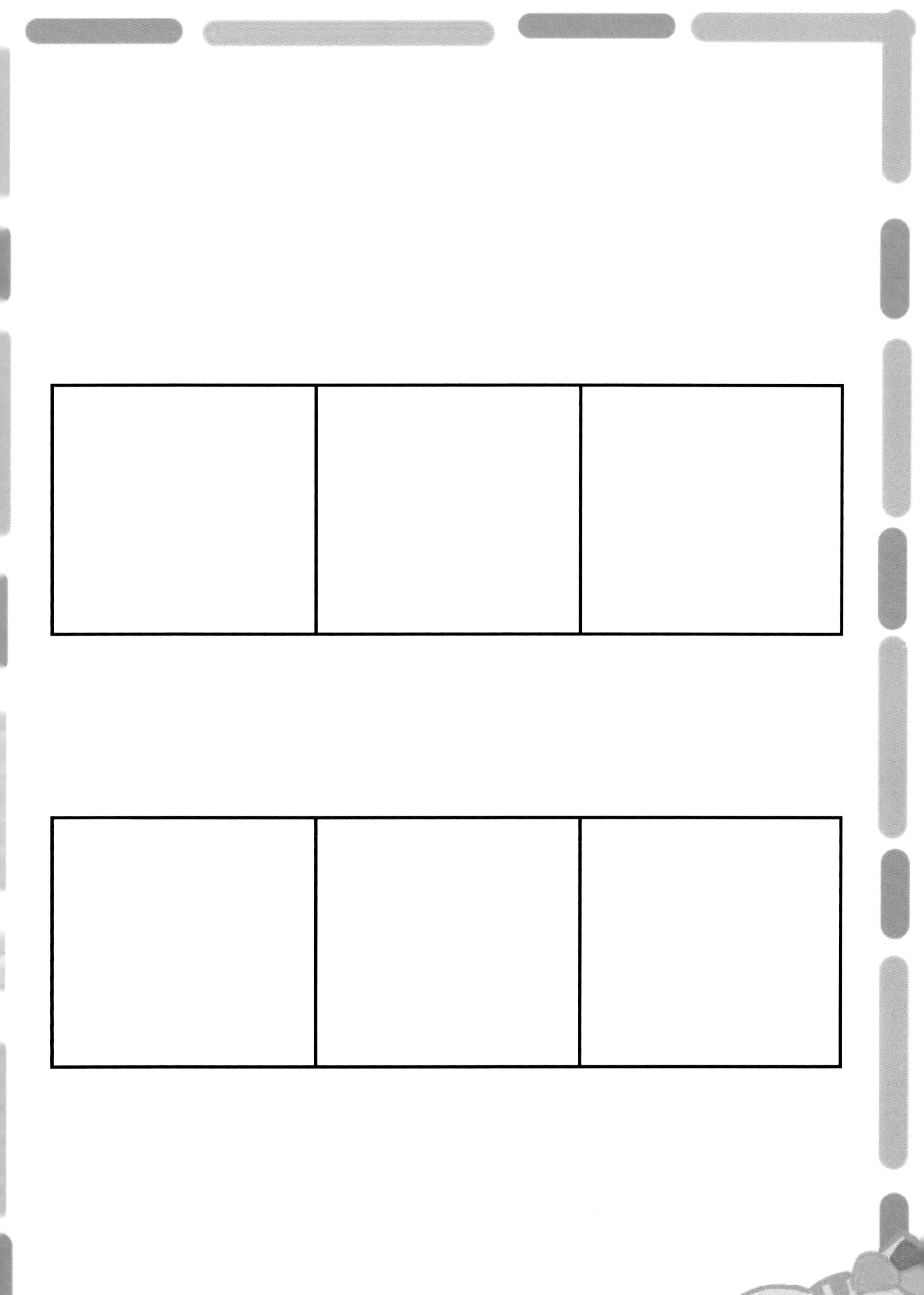

我認識國字

解釋： 我們用身體表示「小」時，會雙腳併攏的站立，且雙手微微打開。

詞語： 小孩、 小心

解釋： 二加三等於五，「五」字像國字「二」加上國字「三」。

詞語： 五枝（筆）

國字演變圖

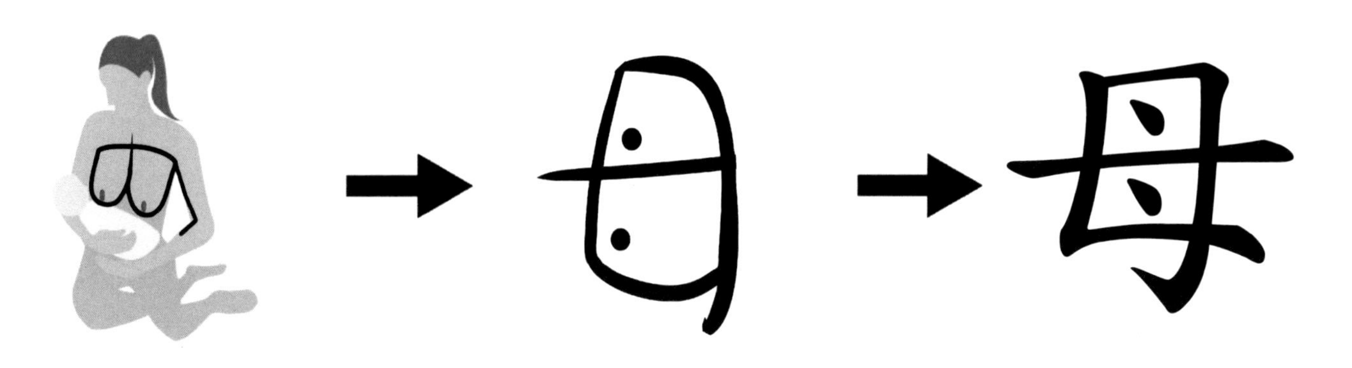

行

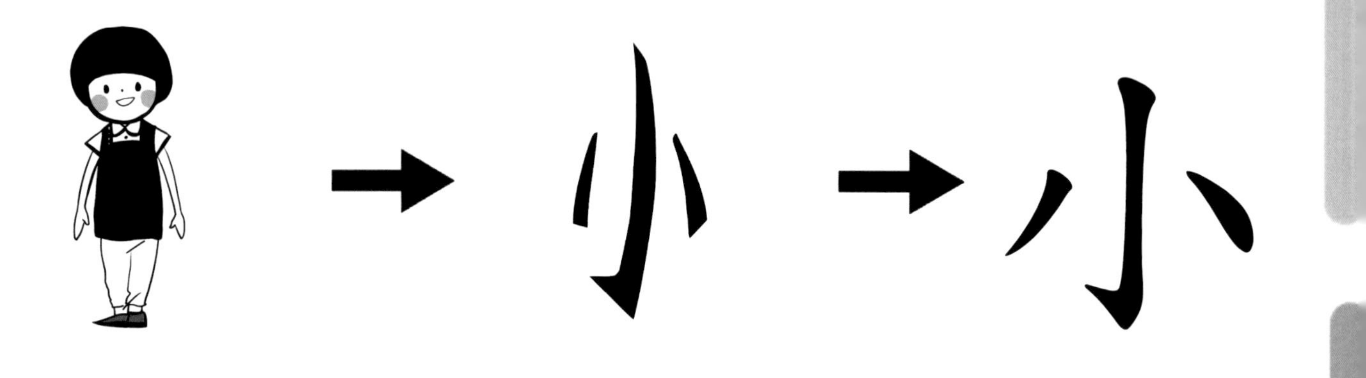

+三=五 → 五 → 五

我可以做到！

完成任務可以請爸爸媽媽在空格處貼上小饅頭貼紙。

爸媽叫我們的時候，馬上回答。	
答應爸媽事情時，馬上去做。	
爸媽教導我們事情時專心聆聽。	
爸媽罵我們時，順從接受，不頂嘴。	
在日常生活中體貼爸媽。	
出門和回家時，都跟爸媽打招呼。	
沒有做壞事，讓爸媽擔心。	

貼紙在第150頁。

我的目標

★ 能重視健康的生活。

★ 能了解抽菸對於身體健康的危害。

★ 能說出自己的感受與經驗。

松松和果果打架時，
不小心撞破衣櫃，
松松掉進衣櫃中，
果果也跟著跳進去了。

他們醒來時，發現世界好像不一樣了，多了很多沒看過的東西。一看日曆才發現，他們來到三十年後的世界。

走到客廳發現爸媽正坐在沙發看電視，但是他們的頭上多了好多白頭髮，臉上也多了不少皺紋，爸爸還一直不斷的咳嗽。

松松和果果看了覺得很難過，他們決定，如果可以回到原本的世界，就要叫爸爸戒菸。

他們突然聽到媽媽的聲音：
松松、果果，快起床！
上學要遲到了！

他們忽然驚醒，看到媽媽還是年輕的樣子，發現是在做夢，就放心了。

松松：媽媽，您可以不要變老嗎？您想要吃什麼，我都存錢買給您；我會從今天開始改掉壞習慣；我也會好好愛惜身體，不隨便跟弟弟打架。

媽媽：傻孩子，你是不是還沒睡醒？怎麼還在說夢話？快去刷牙洗臉吧！

吃早餐時，松松看到爸爸桌上的打火機跟菸盒。

果果：爸爸，電視都說抽菸對身體不好，您可不可以戒菸？剛剛夢到爸爸變老後，一直在咳嗽，看起來很不舒服。

爸爸：那就聽松松的話，爸爸努力試試看。

松松：爸爸別擔心，如果您身體不舒服，我會在您身邊照顧您，我知道戒菸會很不舒服。

媽媽：我也會跟孩子一起陪著你，直到你戒煙成功！

我會《弟子規》

親所好，力為具；
親所惡，謹為去。
身有傷，貽親憂；
德有傷，貽親羞。
親愛我，孝何難；
親憎我，孝方賢。
親有過，諫使更；
怡吾色，柔吾聲。

什麼意思？

爸媽喜愛的東西，要送給他們；爸媽不喜歡的東西，不要留著。我們的身體都是爸媽賜予的，因此要愛惜自己的身體，不讓身體受到傷害。

要好好的修養品德，成為好的人；如果做出不道德的事情，會讓爸媽丟臉。當爸媽疼愛我們時，要孝順爸媽；爸媽管教嚴格時，我們要體會爸媽的辛苦並孝順爸媽。

我會《弟子規》

親有疾，藥先嘗；
晝夜侍，不離床。
喪盡禮，祭盡誠；
事死者，如事生。

我可以做到！

完成任務可以請爸爸媽媽
在空格處貼上小饅頭貼紙。

愛惜自己的身體。	
努力改變自己， 讓自己變得更好。	
陪伴爸媽，和爸媽 聊天。	
孝順爸媽，幫忙 做家事。	
爸媽身體不舒服時， 好好照顧他們。	
主動關心爸媽。	
做些會讓爸媽開心的 事，例如幫忙按摩。	

貼紙在第150頁。

我的目標

★ 能主動探索世界。

★ 能主動提問自己不會的事情。

★ 能安排讀書計畫。

今天生活課提到牛頓因為被蘋果砸到頭，發現地球有萬有引力，蘋果才會從樹上掉下來。

下課後， 鼓鼓與點點在討論水從天上掉下來，會不會讓大家受傷。

點點覺得水滴會一直加速，到達地面時，速度會快到讓人受傷。

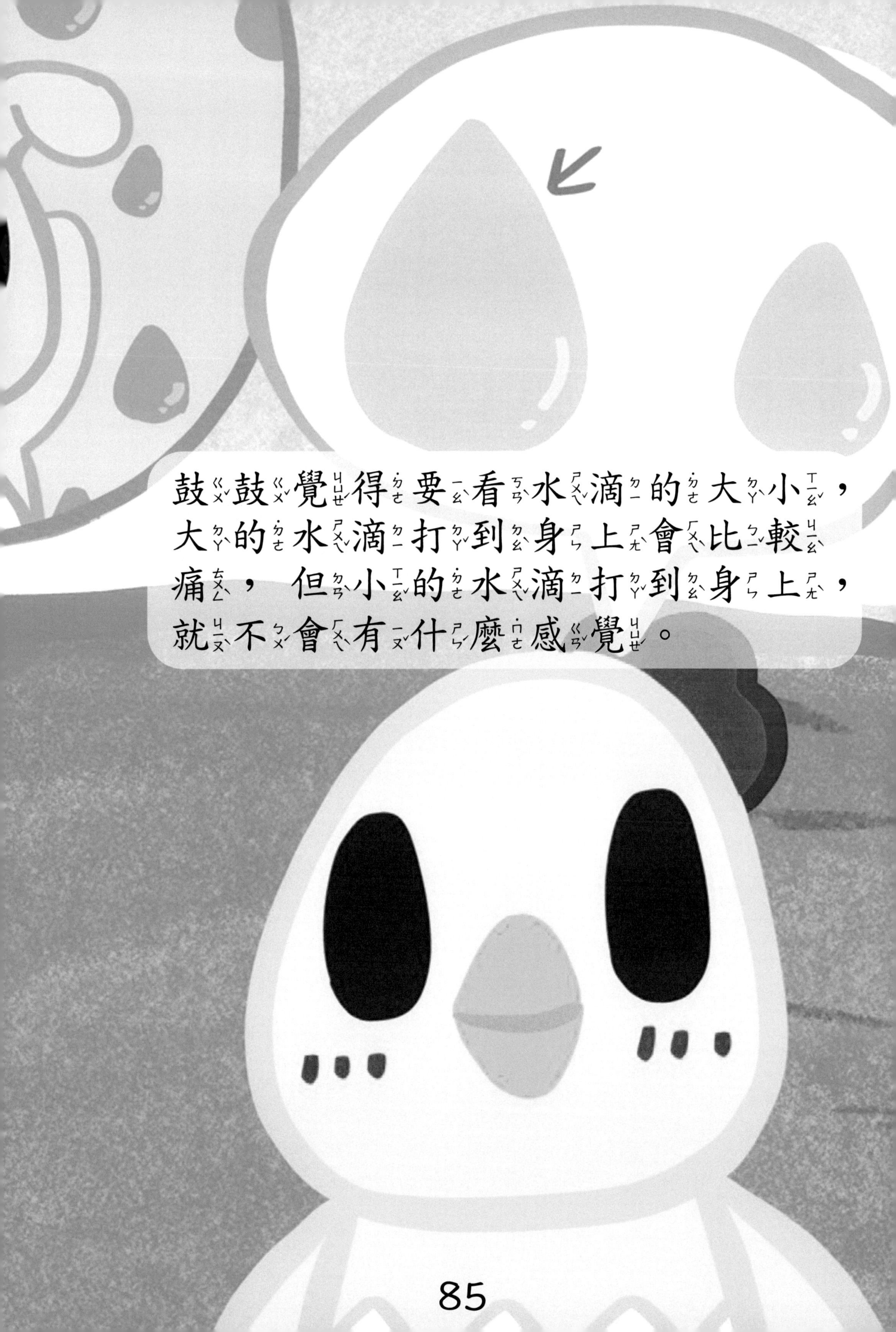

鼓鼓覺得要看水滴的大小，大的水滴打到身上會比較痛， 但小的水滴打到身上，就不會有什麼感覺。

莉莉和菲菲經過時，聽到鼓鼓與點點的討論。

莉莉：你們沒有淋過雨嗎？我沒有聽說過有人因為淋雨而受傷。

菲菲：我說嘛！就叫你們不要死讀書吧！我爸爸說：「讀萬卷書不如行萬里路。」

回家後，點點在家唸書時，想起了老師教的：「讀書要眼到、心到、口到。」

於是點點把他心愛的抱枕跟舊照片拿出來，然後把照片貼在抱枕上面。邊打電動邊說：我要認真唸書，我要認真唸書……。

媽媽打開門來，打算叫點點吃飯，結果媽媽看到了點點在呼呼大睡。

媽媽：點點！你在做什麼？

點點：讀書三到「眼到、口到、心到」，我都做到了！

媽媽：真正的「眼到、口到、心到」是指我們在唸書時要用眼睛看，用嘴巴唸，最後要唸到心裡。

讀書計畫可以輕鬆一點，不用安排太多，但不是用來放鬆的。

我會《弟子規》

不力行，但學文；
長浮華，成何人。
但力行，不學文；
任己見，昧理真。

什麼意思？

如果我們只是死讀書
而不去做的話，就算
學得再多，也沒辦法
在生活中運用學到的
知識。

要成為有用的人，
必須在讀書的時候，
走出門觀察世界。
如果一個人埋頭苦幹，
不去了解自己做的事
有什麼意義時，那麼
這個人會連自己做錯
事情都不知道，因此
讀書和做事都很重要，
這樣才不會做錯事。

我會《弟子規》

讀書法，有三到；
心眼口，信皆要。
方讀此，勿慕彼；
此未終，彼勿起。
寬為限，緊用功；
工夫到，滯塞通。
心有疑，隨札記；
就人問，求確義。

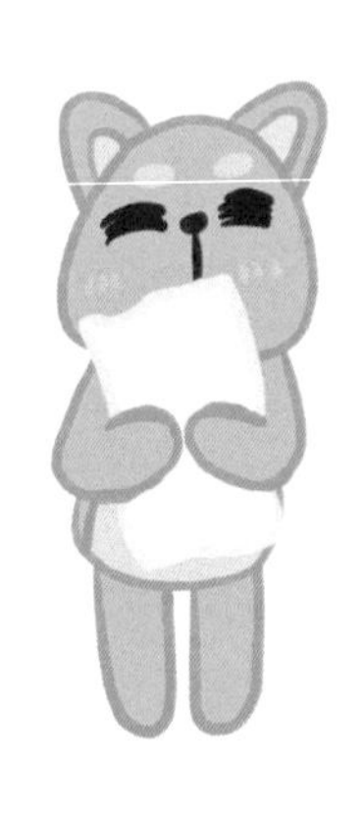

什麼意思？

用眼睛閱讀時，也要用嘴巴大聲唸出來，更要用心體會。讀書時要專心，不能東看西看，或是還沒看完一本書就看下一本，這樣不能完整的讀懂書中的知識。要安排讀書進度，也要適當的休息。在讀書時，要嚴格的監督自己，愈讀愈多之後，以前覺得很難的部分也會變得簡單。遇到不會的地方要做筆記，並詢問老師或爸媽。

猜猜看這是什麼字？

請從下方選出最像的字卡，擺入第99頁和第103頁的空格中。

二 ㄦˋ	身 ㄕㄣ	功 ㄍㄨㄥ
書 ㄕㄨ	夫 ㄈㄨ	工 ㄍㄨㄥ
用 ㄩㄥˋ	記 ㄐㄧˋ	三 ㄙㄢ

字卡在第148頁，剪下來使用。

我是大偵探

請剪下第148頁的字，看看哪個字最像下面的圖，擺到格子裡。

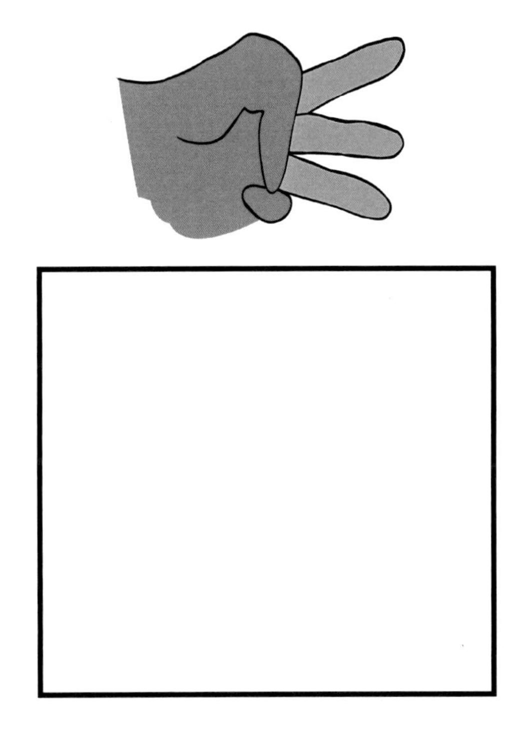

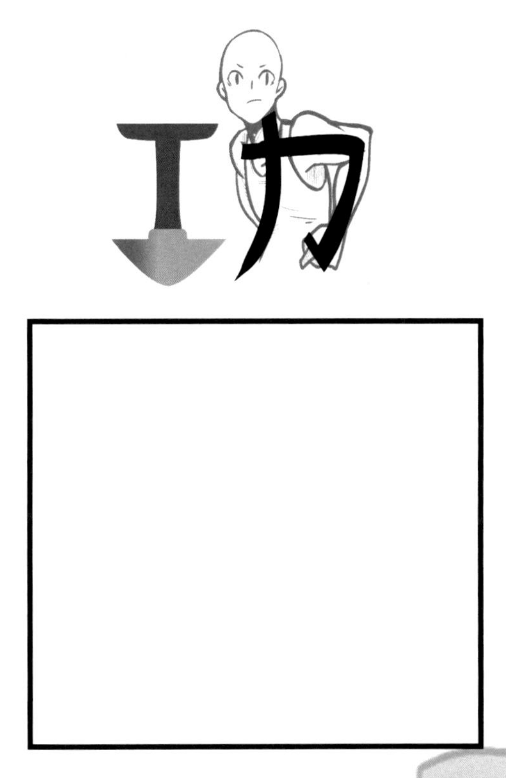

我ㄨㄛˇ會ㄏㄨㄟˋ寫ㄒㄧㄝˇ國ㄍㄨㄛˊ字ㄗˋ

先ㄒㄧㄢ描ㄇㄧㄠˊ三ㄙㄢ次ㄘˋ，再ㄗㄞˋ寫ㄒㄧㄝˇ三ㄙㄢ次ㄘˋ。

書 ㄕㄨ	書 ㄕㄨ	書 ㄕㄨ
三 ㄙㄢ	三 ㄙㄢ	三 ㄙㄢ
功 ㄍㄨㄥ	功 ㄍㄨㄥ	功 ㄍㄨㄥ

我認識國字

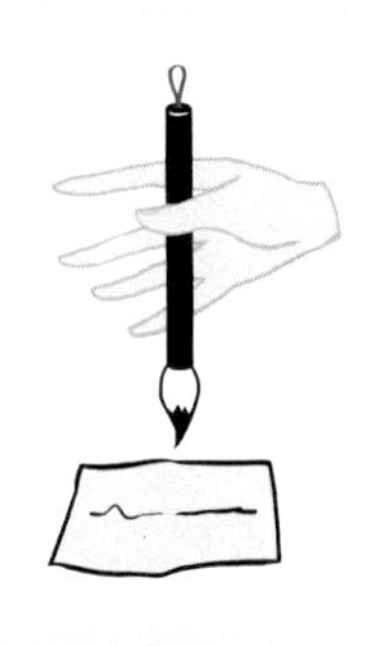

解釋：「書」像人的手握著毛筆，在紙上寫一行字。

詞語：書法、書本

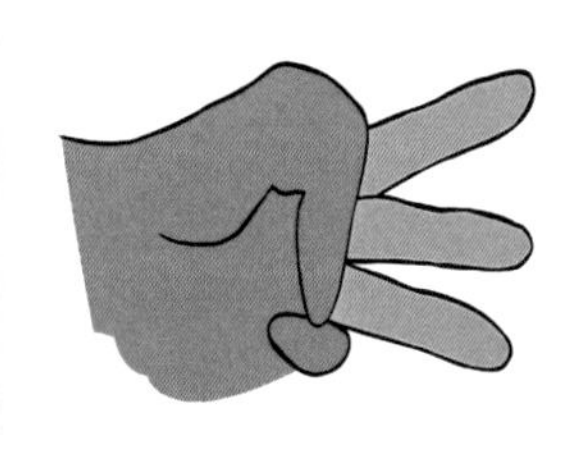

解釋：向前伸出三隻手指，用手比出數字「三」。

詞語：三本（書）

解釋：如果很努力而且用對工具，那麼就一定會成功。

詞語：功能、功課

我是大偵探

請剪下第148頁的字，看看哪個字最像下面的圖，擺到格子裡。

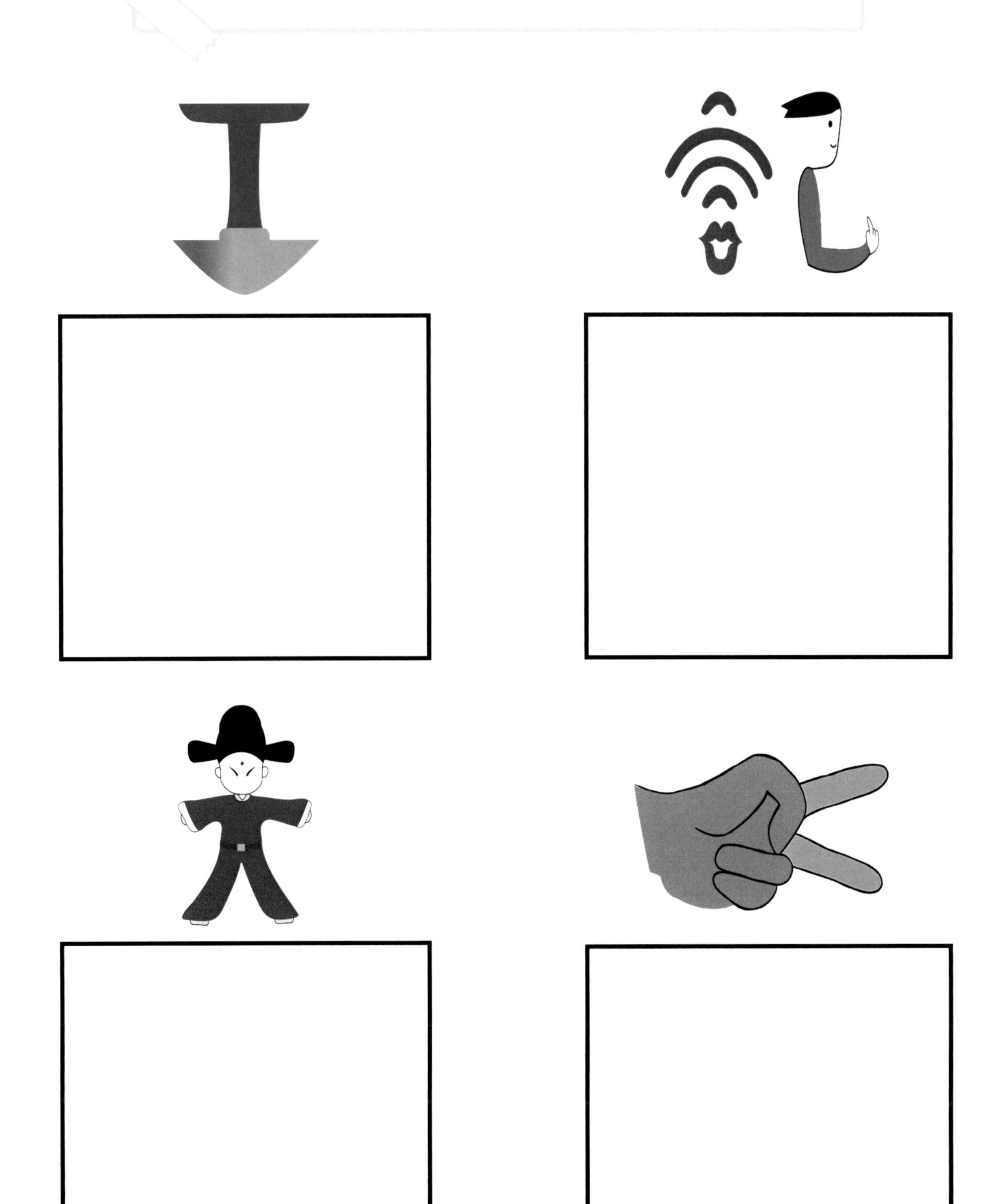

我會寫國字

先描三次，再寫三次。

工 ㄍㄨㄥ	工 ㄍㄨㄥ	工 ㄍㄨㄥ
記 ㄐㄧˋ	記 ㄐㄧˋ	記 ㄐㄧˋ
夫 ㄈㄨ	夫 ㄈㄨ	夫 ㄈㄨ
二 ㄦˋ	二 ㄦˋ	二 ㄦˋ

我認識國字

解釋：「工」作用的鏟子。

詞語：工作、工人

解釋：要記得自己說過的話。

詞語：筆記、忘記

解釋：「夫」像帶著官帽的成年男子，正面站立的樣子。

詞語：丈夫、夫妻

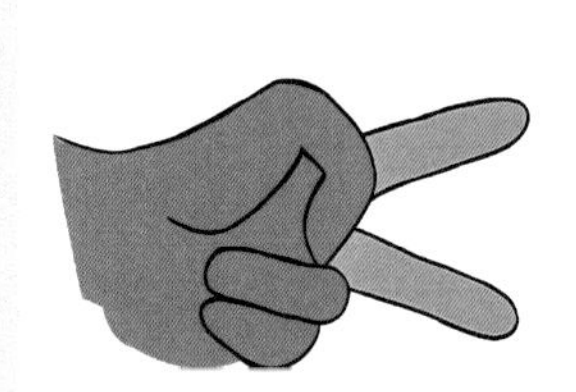

解釋：向前伸出兩隻手指，用手比出數字「二」。

詞語：二十、二手

國ㄍㄨㄛˊ字ㄗˋ演ㄧㄢˇ變ㄅㄧㄢˋ圖ㄊㄨˊ

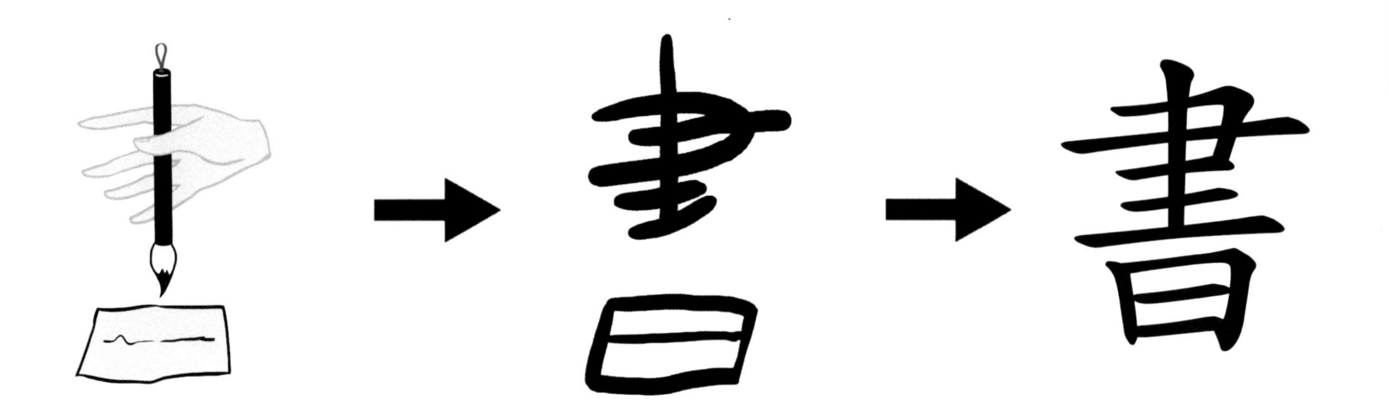

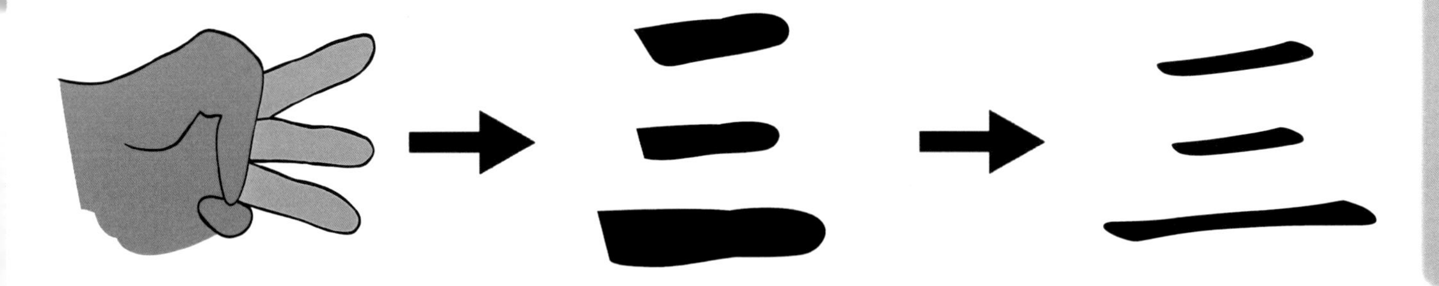

→ 工 → 工

→ 記 → 記

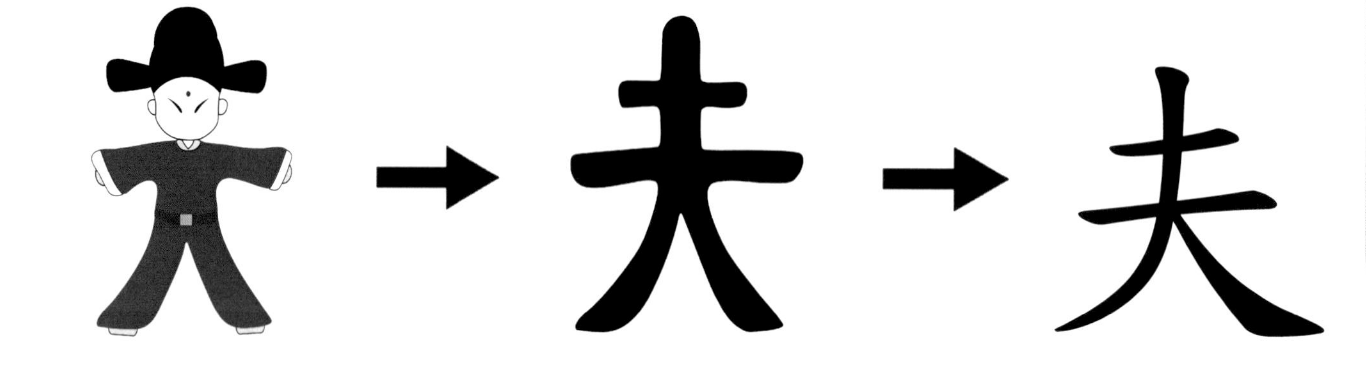

→ 二 → 二

我可以做到！

完成任務可以請爸爸媽媽在空格處貼上小饅頭貼紙。

主動認真讀書。	
讀書的時候，會想到怎麼在生活中使用。	
觀察世界，和爸媽或朋友討論發現的事。	
讀書的時候很專心。	
一次只讀一本書，而且讀完會放好。	
認真安排讀書計畫。	
遇到不會的事情，主動問老師或爸媽。	

貼紙在第150頁。

我的目標

★ 能保持書本整潔。

★ 能每天整理自己的房間或幫忙做家事。

★ 能對他人的幫助表達感謝。

Good!
莉莉

點點忘記帶課本，跟莉莉借筆記來抄。

點點發現莉莉的課本很乾淨，就像新的一樣，筆記也很整齊，讀起來很輕鬆，所以他決定要向莉莉學習。

莉莉
一二三
四五六
莉莉
七八九
十

點點為了感謝莉莉借他書，他決定要寫一張卡片來感謝莉莉。

Thank
you

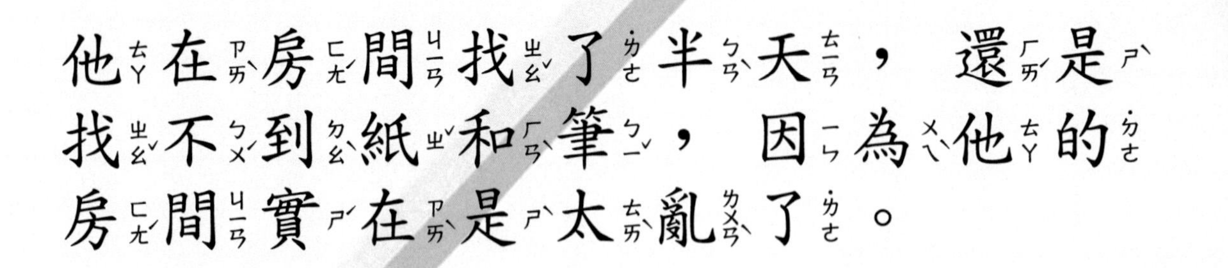
他在房間找了半天，還是找不到紙和筆，因為他的房間實在是太亂了。

所以他決定要好好整理房間，把書都收好、把文具放整齊，這樣之後要用的時候才找得到。

點點決定要買一本做卡片的工具書和練字的寫字本，並買了一本他最喜歡的漫畫書當作禮物。

點點寫好卡片後，
興高采烈的跑去找莉莉，
把漫畫書、卡片和莉莉
的筆記一起交給了她。

但是莉莉收到禮物後不是很開心，她收下了卡片跟筆記，卻把漫畫書退還給點點。

莉莉跟他說：老師教我們要多讀好書，與其花時間看漫畫書，不如把時間拿來複習功課。

我會《弟子規》

房室清，　牆壁淨；

几案潔，　筆硯正。

墨磨偏，　心不端；

字不敬，　心先病。

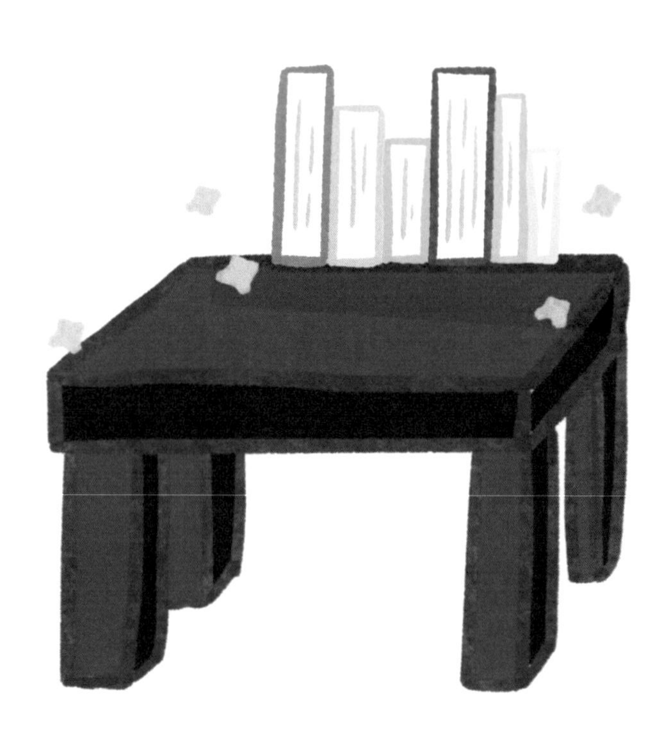

什麼意思？

環境對每個人來說都很重要，所以書房要整理乾淨，牆壁也要維持整潔，桌上的文具更要擺整齊。

以前的人在磨墨前需要先安靜坐好，不然磨墨時就會磨歪。不專心的話，就會把字寫歪。

我會《弟子規》

列典籍，有定處；
讀看畢，還原處。
雖有急，卷束齊；
有缺壞，就補之。
非聖書，屏勿視；
蔽聰明，壞心志。
勿自暴，勿自棄；
聖與賢，可馴致。

什麼意思？

書本要分類放好，像是課本和故事書分開放。看完書要馬上放回原位。就算有急事，也要把書本收好再離開座位。書本破掉，要去修好它，讓書保持完整、乾淨。

挑選好書來閱讀，不讀不好的書，因為會被書中不正確的想法影響。遇到挫折不要放棄，保持自信，不斷的努力，相信自己可以變成厲害的人。

猜猜看這是什麼字？

請從下方選出最像的字卡，擺入第129頁和第133頁的空格中。

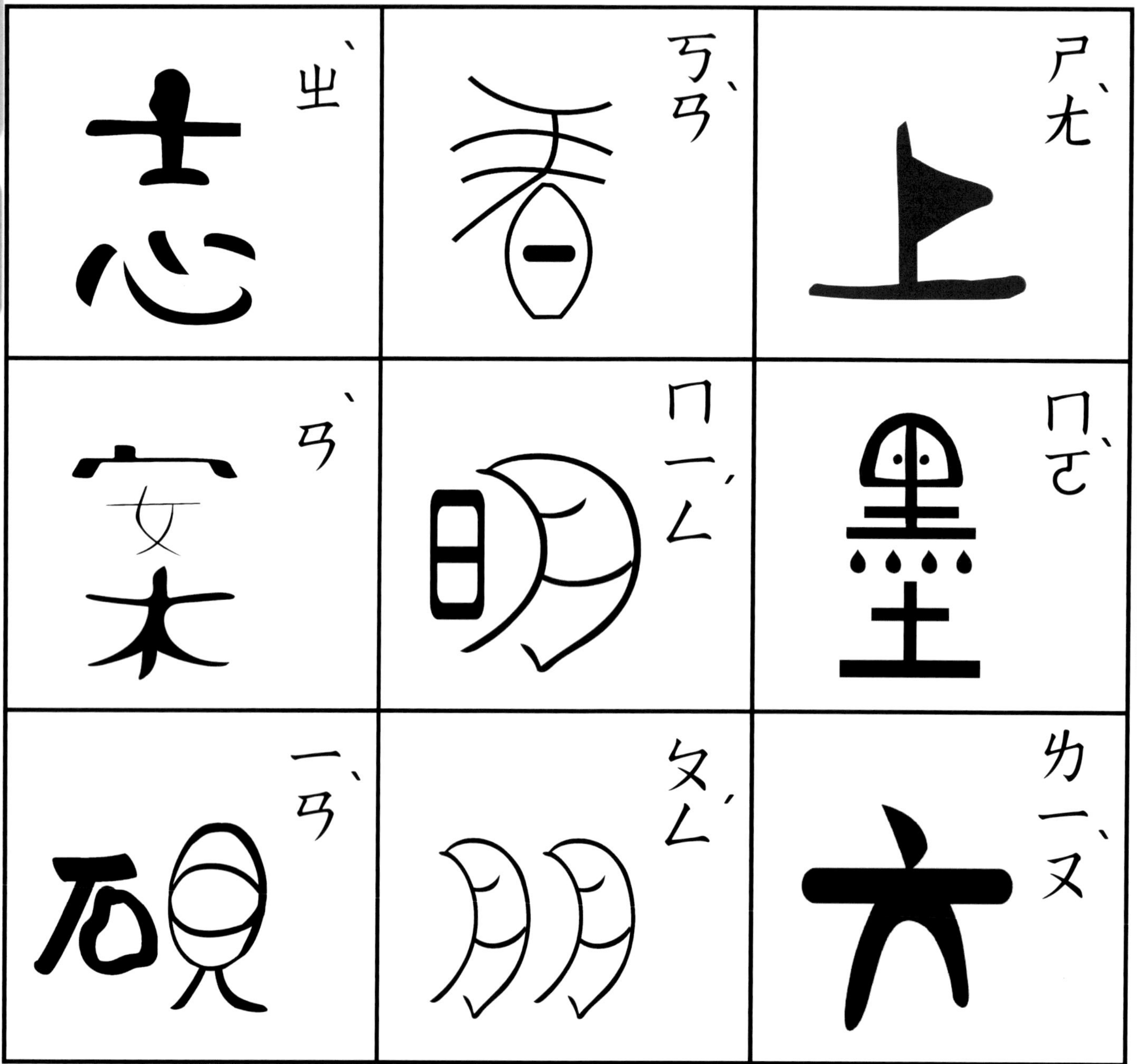

ㄓˋ	ㄎㄢˋ	ㄕㄤˋ
ㄢˋ	ㄇㄧㄥˊ	ㄇㄛˋ
ㄧㄢˋ	ㄆㄥˊ	ㄌㄧㄡˋ

字卡在第149頁，剪下來使用。

我是大偵探

請剪下第149頁的字，看看哪個字最像下面的圖，擺到格子裡。

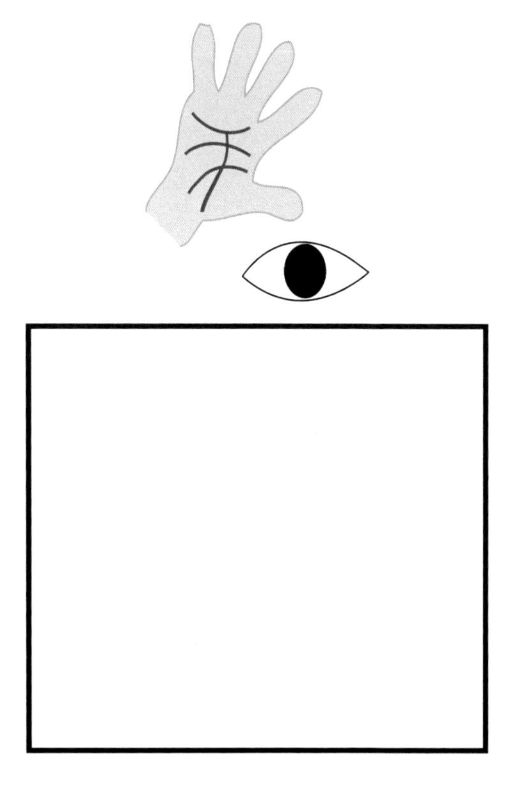

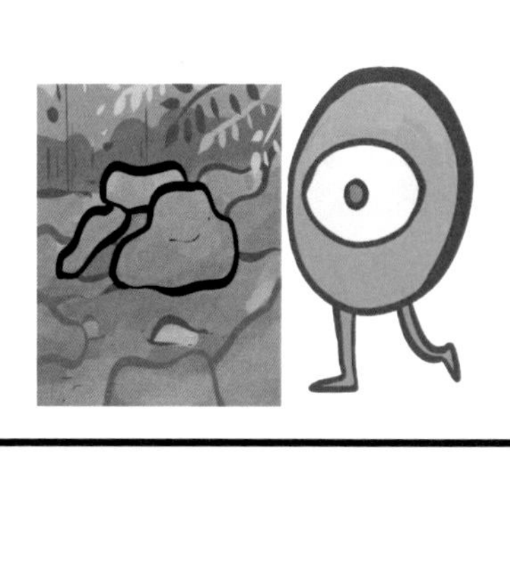

我會寫國字

先描三次，再寫三次。

看	看	看
案	案	案
硯	硯	硯

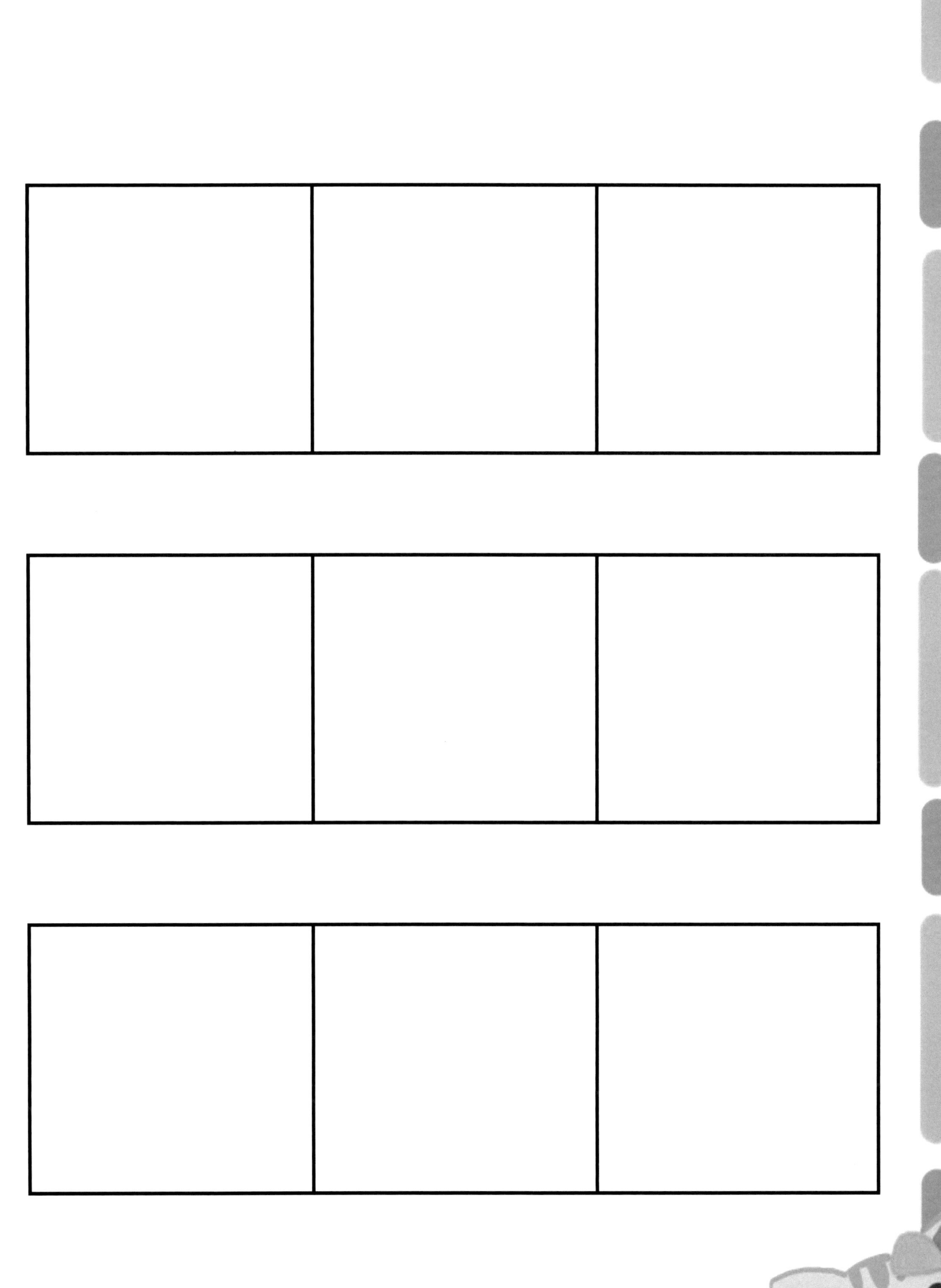

我認識國字

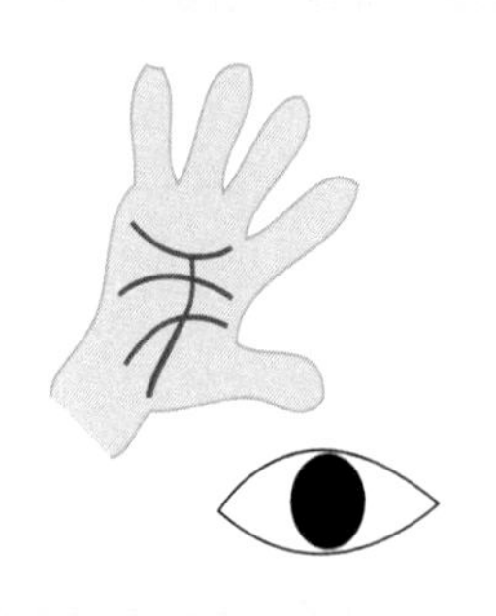

解釋：把手放在眼睛上方，遮著光線，讓眼睛看得更清楚。「看」也唸「看」。

詞語：看見、看家

解釋：一個女生把木頭做成可以放在屋內的案，「案」就是小桌子的意思。

詞語：案件、檔案

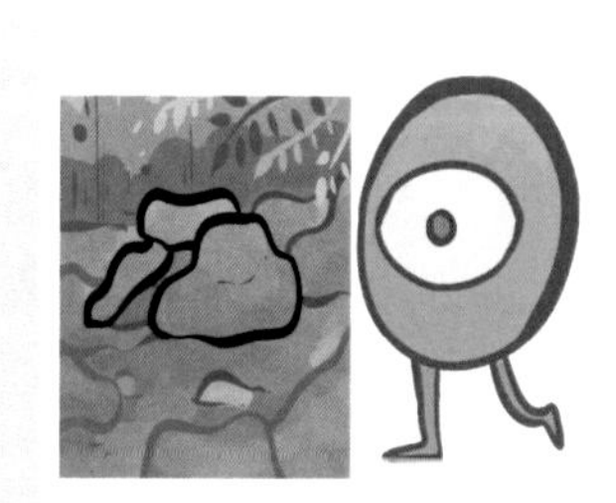

解釋：把眼睛所見的石頭拿來做成硯臺，用來磨墨寫字。

詞語：硯臺、硯友

我是大偵探

請剪下第149頁的字，看看哪個字最像下面的圖，擺到格子裡。

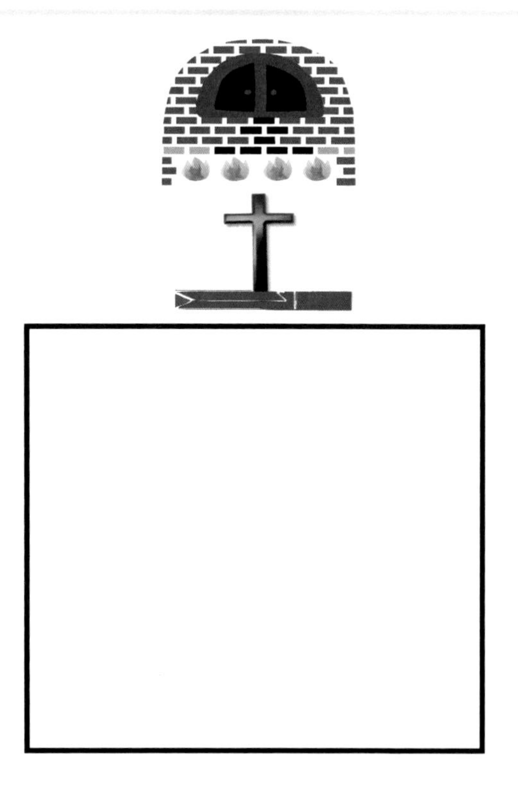

我ㄨㄛˇ會ㄏㄨㄟˋ寫ㄒㄧㄝˇ國ㄍㄨㄛˊ字ㄗˋ

先ㄒㄧㄢ描ㄇㄧㄠˊ三ㄙㄢ次ㄘˋ，再ㄗㄞˋ寫ㄒㄧㄝˇ三ㄙㄢ次ㄘˋ。

墨 ㄇㄛˋ	墨 ㄇㄛˋ	墨 ㄇㄛˋ
志 ㄓˋ	志 ㄓˋ	志 ㄓˋ
六 ㄌㄧㄡˋ	六 ㄌㄧㄡˋ	六 ㄌㄧㄡˋ

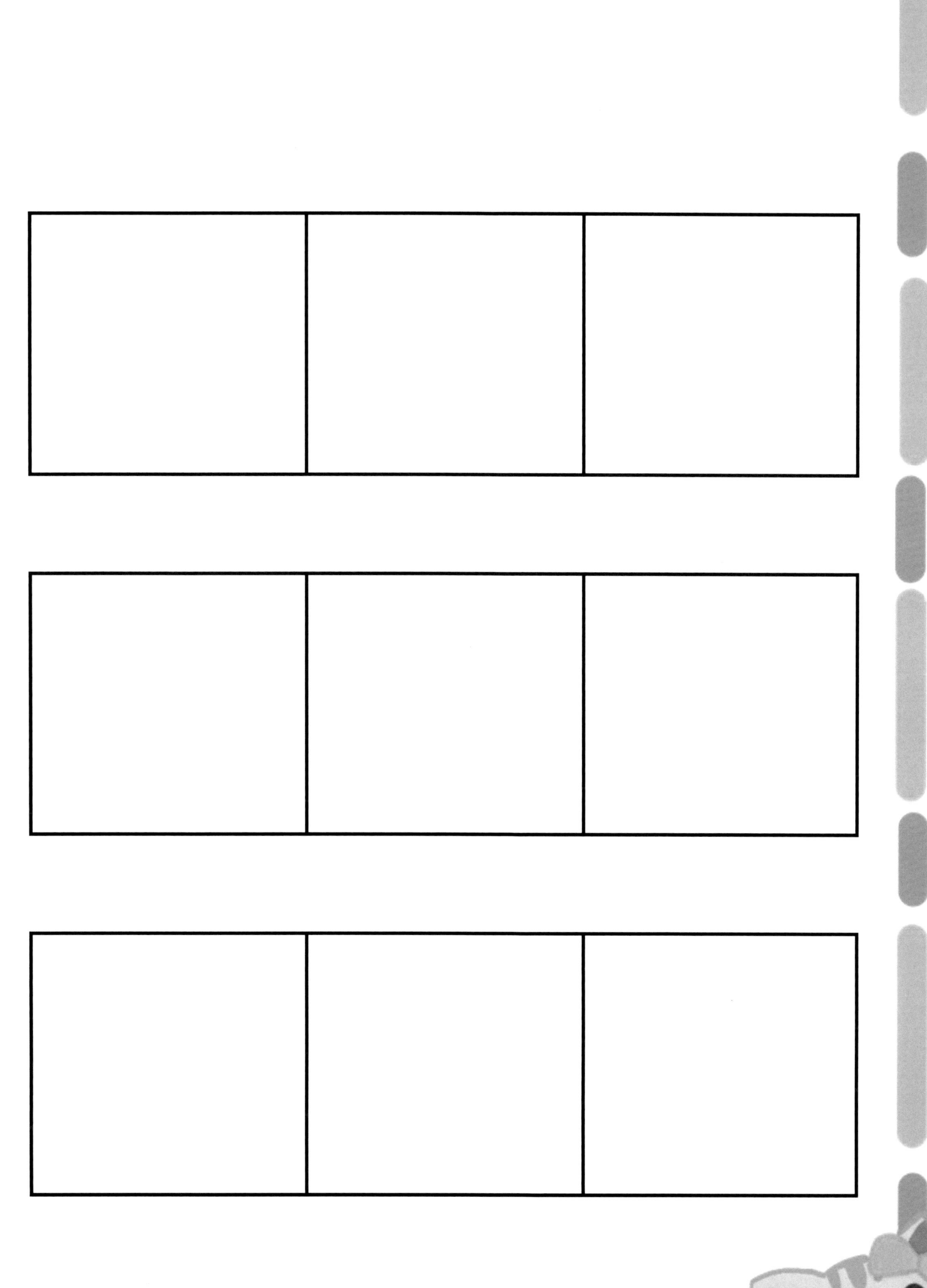

我認識國字

解釋：古代的墨汁是燃燒從土長出來的樹木，再收集黑煙製成。

詞語：墨筆、墨水

解釋：有些男生心中的志向是當士兵。

詞語：志氣、志向

解釋：像手朝下伸出大拇指與小拇指，其餘手指收起，用手比出數字「六」。

詞語：六隻（豬）

國字演變圖

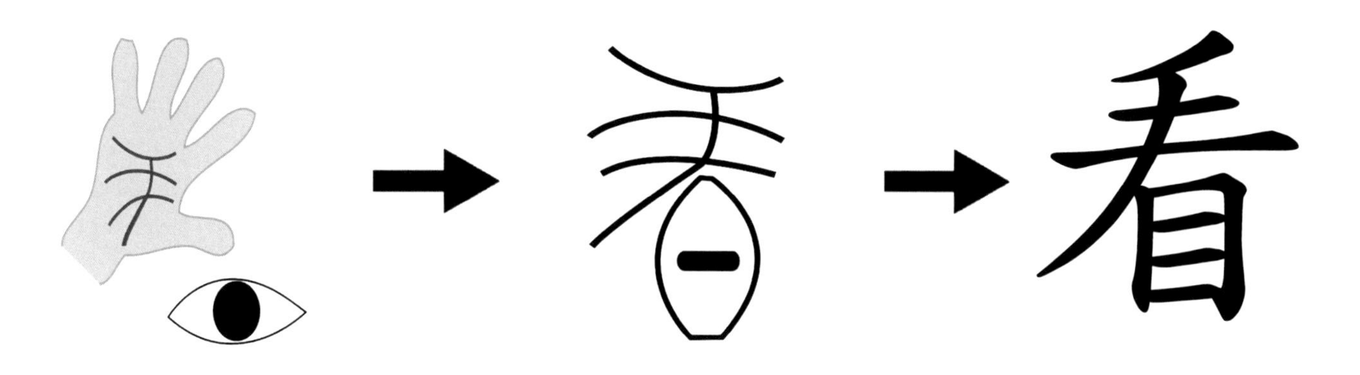

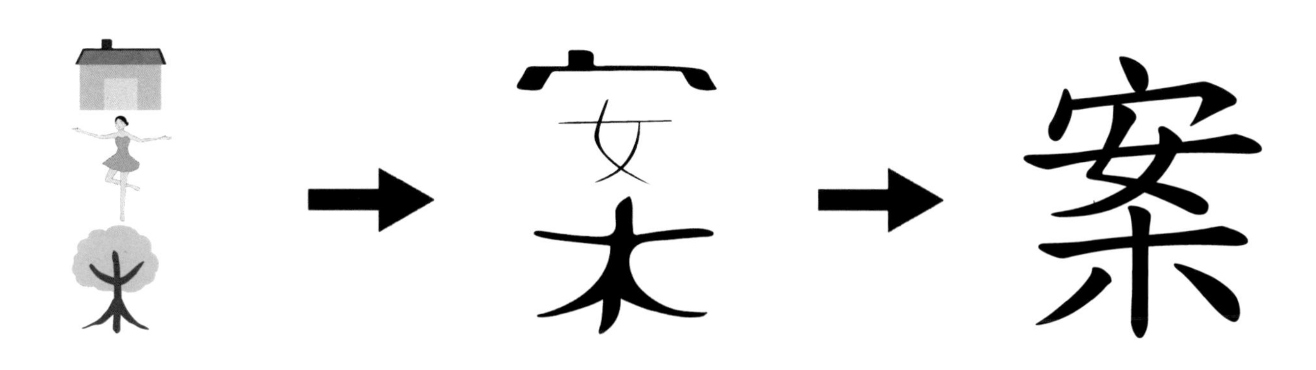

硯

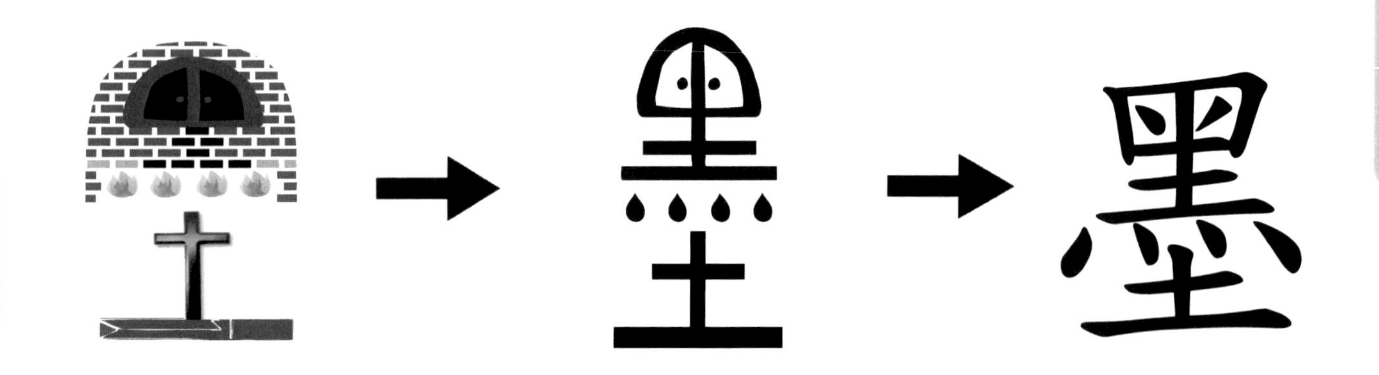

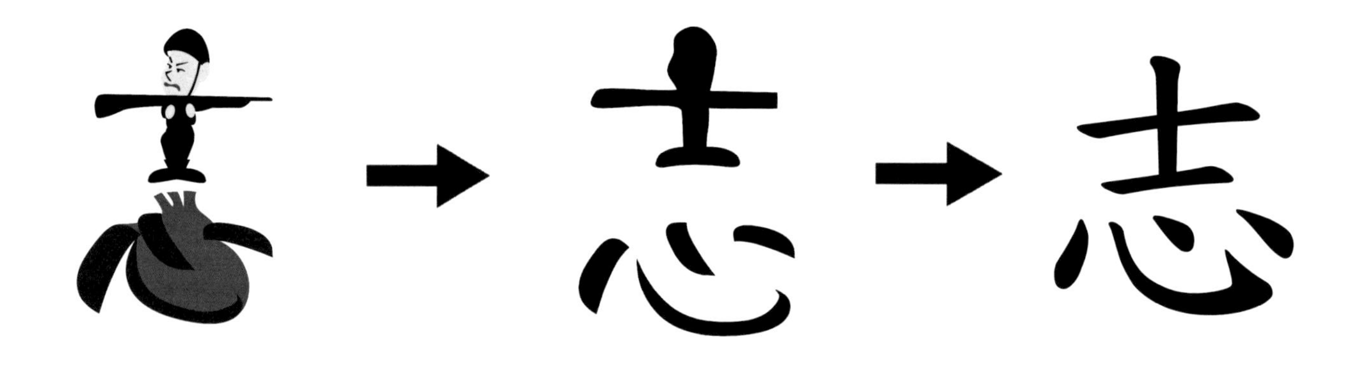

六

我可以做到！

完成任務可以請爸爸媽媽在空格處貼上小饅頭貼紙。

書房整理乾淨，桌上的文具擺整齊。	
讓書本保持完整、乾淨。	
寫字時專心，坐姿端正。	
書本分類放好。	
書本收好後，才離開座位。	
多讀好書。	
上課認真抄筆記。	

貼紙在第150頁。

給ㄍㄟˇ爸ㄅㄚˋ媽ㄇㄚ的ㄉㄜ˙話ㄏㄨㄚˋ

本書為親子共讀書籍，親子共讀能增進孩子的語文理解及親子關係。爸媽可運用交互教學法的四個策略：(1)預測、(2)澄清、(3)提問、(4)摘要，幫助孩子建立閱讀學習鷹架。

在開始閱讀故事之前，爸媽先帶領孩子進行「封面預測」，透過書名與圖片預測故事內容；在閱讀故事的同時，爸媽適時停下腳步，讓孩子「預測」後面的故事發展，以提升孩子的閱讀動機。當孩子遇到閱讀困難時，「澄清」很重要，爸媽引導孩子透過上下文意或插圖來推測正確的意思，或請孩子查字典找答案。讀完故事後，爸媽請孩子「提問」，此時孩子會努力的反覆閱讀文本，找出可詢問的問題，爸媽可引導孩子使用5W1H1♥ (who, when, where, what, why, how, 心情)來提問，藉此促進對文意的了解。

Who ：「有哪些人物?」

When：「發生在什麼時候?」

Where：「在什麼地方?」

What：「發生了什麼事?」

Why：「原因是什麼?」

How：「如何處理?」

心情：「人物的心情如何？」

最後，爸媽引導孩子試著「摘要」文本內容，用自己的話說出大意，以檢視孩子是否能理解文本重點。

透過本書的《弟子規》品德故事，孩子能夠在快樂閱讀的同時，學會《弟子規》的重要內涵。本書結合「鍵接圖識字教學策略」，從《弟子規》中挑選重要且簡單的字，並加入生活常用字。使文字圖像化，讓孩子透過可愛且有趣的圖片來學習國字，以提升孩子學習國字的興趣及識字量。本書搭配自我檢核表（我可以做到），孩子若達成，爸媽可協助貼上書末的貼紙，以茲鼓勵。

在共讀的過程中，爸媽非以上對下的方式帶領，而是成為孩子的「學習夥伴」，在閱讀的過程中不斷的與孩子對話並給予鼓勵與讚美；一同學習與討論，彼此分享想法，且接納對方不同的想法；藉此提升孩子的溝通能力、建立緊密的親子關係。

本冊建議之問題討論：

1. 你平常會主動幫忙做家事嗎？
2. 你能做哪些家事？
3. 你以後想幫爸媽做些什麼？
4. 如何維持身體健康？
5. 吸菸對身體有什麼影響？
6. 當別人的話語或行為讓你不舒服時，要怎麼做？
7. 我們要如何探索世界（如：大自然、文化）？
8. 遇到不會的事情，要怎麼辦？
9. 怎麼做才能讓書本保持整潔？

《弟子規》放大鏡

〈入則孝〉

父母呼，應勿緩；

父母命，行勿懶。

父母教，須敬聽；

父母責，須順承。

冬則溫，夏則凊；

晨則省，昏則定。

出必告，反必面；

居有常，業無變。

事雖小，勿擅為；

苟擅為，子道虧。

物雖小，勿私藏；

苟私藏，親心傷。

親所好，力為具；

親所惡，謹為去。

身有傷，貽親憂；

德有傷，貽親羞。

親愛我，孝何難；

親憎我，孝方賢。

親有過，諫使更；

怡吾色，柔吾聲。

親有疾，藥先嘗；

晝夜侍，不離床。

喪盡禮，祭盡誠；

事死者，如事生。

《弟子規》放大鏡

〈餘力學文〉

不力行，但學文；
長浮華，成何人。
但力行，不學文；
任己見，昧理真。
讀書法，有三到；
心眼口，信皆要。
方讀此，勿慕彼；
此未終，彼勿起。
寬為限，緊用功；
工夫到，滯塞通。

心有疑，隨札記；
就人問，求確義。
房室清，牆壁淨；
几案潔，筆硯正。
墨磨偏，心不端；
字不敬，心先病。
列典籍，有定處；
讀看畢，還原處。
雖有急，卷束齊；
有缺壞，就補之。
非聖書，屏勿視；
蔽聰明，壞心志。
勿自暴，勿自棄；
聖與賢，可馴致。

附件

文字字卡

搭配第32頁「猜猜看這是什麼字？」使用。

請沿黑線剪下。

止 ㄓˇ	在 ㄗㄞˋ	面 ㄇㄧㄢˋ
小 ㄒㄧㄠˇ	色 ㄙㄜˋ	目 ㄇㄨˋ
母 ㄇㄨˇ	行 ㄒㄧㄥˊ	五 ㄨˇ

文字字卡

搭配第66頁「猜猜看這是什麼字？」使用。

請沿黑線剪下。

ㄏㄠˇ	ㄕㄣ	ㄑㄧㄢ
ㄕˊ	˙ㄌㄜ	ㄙㄜˋ
ㄩㄥˋ	ㄙㄨㄛˇ	ㄊㄚ

文字字卡

搭配第98頁「猜猜看這是什麼字？」使用。

請沿黑線剪下。

二 ㄦˋ	身 ㄕㄣ	功 ㄍㄨㄥ
書 ㄕㄨ	夫 ㄈㄨ	工 ㄍㄨㄥ
用 ㄩㄥˋ	記 ㄐㄧˋ	三 ㄙㄢ

附件

文字字卡

搭配第128頁「猜猜看這是什麼字？」使用。

請沿黑線剪下。

志 ㄓˋ	看 ㄎㄢˋ	上 ㄕㄤˋ
案 ㄢˋ	明 ㄇㄧㄥˊ	墨 ㄇㄛˋ
硯 ㄧㄢˋ	朋 ㄆㄥˊ	六 ㄌㄧㄡˋ